Au moment de l'**heure des histoires**, tandis que l'un regarde les images et l'autre lit le texte, une relation s'enrichit, une personnalité se construit, naturellement, durablement.

Pourquoi ? Parce que la lecture partagée est une expérience irremplaçable, un vrai point de rencontre. Parce qu'elle développe chez nos enfants la capacité à être attentif, à écouter, à regarder, à s'exprimer. Elle élargit leur horizon et accroît leur chance de devenir de bons lecteurs.

Quand ? Tous les jours, le soir, avant de s'endormir, mais aussi à l'heure de la sieste, pendant les voyages, trajets, attentes… La lecture partagée permet de retrouver calme et bonne humeur.

Où ? Là où l'on se sent bien, confortablement installé, écrans éteints… Dans un espace affectif de confiance et en s'assurant, bien sûr, que l'enfant voit parfaitement les illustrations.

Comment ? Avec enthousiasme, sans réticence à lire « encore une fois » un livre favori, en suscitant l'attention de l'enfant par le respect du rythme, des temps forts, de l'intonation.

Traduction d'Anne de Bouchony
Maquette : Karine Benoit

ISBN : 978-2-07-063340-1
Titre original : *I Want a Friend!*
Publié par Andersen Press Ltd., Londres
© Tony Ross 2005, pour le texte et les illustrations
© Gallimard Jeunesse 2005, pour la traduction française,
2010, pour la présente édition
Numéro d'édition : 175011
Loi n° 49-956 du 16 juillet 1949 sur les publications destinées à la jeunesse
Dépôt légal : septembre 2010
Imprimé en France par I.M.E.

Tony Ross

Je veux un ami !

This book belongs to ~~[scribbled out]~~
Rachel Ann

– Il ne veut pas jouer avec moi !
pleurnichait la petite princesse.

Il ne joue qu'à des trucs de garçon.

– Ça ne fait rien, dit la reine,
tu commences l'école demain.
Tu auras des tas d'amis pour jouer.

Le lendemain, à l'école, la petite princesse
accrocha ses affaires au portemanteau…

… et alla jouer avec les autres enfants.

Zoé et Chloé sautaient à la corde.
– Nous ne voulons pas jouer avec TOI,
lui dirent-elles.

Quand Agnès s'approcha, la petite
princesse sourit.
– Je ne veux pas jouer avec TOI!
dit Agnès.

– Je peux jouer avec toi ? demanda la petite princesse.

– Non ! dit William en allant jouer avec Zoé, Chloé et Agnès.

La petite princesse restait là tristement, toute seule.
Alors elle vit une autre nouvelle élève, là-bas,
toute seule.

– Personne ne veut jouer avec moi,
dit la petite princesse.
– Ni avec moi, dit l'autre petite fille.

Il y avait des tas d'enfants qui restaient là,
tout seuls.
– Personne ne veut jouer avec nous !
dit la petite princesse.
– Ni avec nous ! répondirent tous les enfants.

La petite princesse et tous les autres enfants
sans ami partagèrent leurs bonbons
et leurs fruits.
– Je voudrais un ami, disaient-ils tous.

Ils jouèrent tous à chat.
– Ce serait plus drôle si nous avions
quelques amis, se disaient-ils.

Tous les enfants sans ami s'assirent
ensemble dans la classe.
Quelques autres enfants sans ami
les rejoignirent.

– Ne t'en fais pas, dit la petite princesse
à la nouvelle petite fille. Je n'ai pas d'ami
non plus. Ce n'est pas si grave.
– Ce n'est pas si grave, dirent tous les autres.

À l'heure de la sortie, tous les enfants
sans ami s'entraidèrent pour remettre
manteaux et chapeaux.

Quand la petite princesse mit son chapeau,
Zoé, Chloé, Agnès et William dirent,
le souffle coupé :
– Ça alors, c'est une princesse !

La petite princesse se tourna vers tous
les autres enfants sans ami.
– Vous voulez venir goûter chez moi ?
demanda-t-elle.

– Oui, si tu veux, répondirent-ils.
– On peut venir aussi ? demandèrent Zoé,
Chloé, Agnès et William.

La petite princesse fronça sévèrement les sourcils.

– D'accord, dit-elle. Venez.

– Mon Dieu ! dit la reine.
Qui sont tous ces enfants ?

– Ce sont mes amis, dit la petite princesse.

L'auteur-illustrateur

Tony Ross est né à Londres en 1938 : fils de prestidigitateur, petit-fils de musicien, arrière-petit-fils d'un des illustrateurs de Charles Dickens, et descendant du grand clan des Ross, de l'ancienne contrée viking des Highlands écossais.

Il rêvait de devenir pilote d'avion et devient illustrateur après son échec à l'examen d'entrée de l'École de l'Air : dessiner était la seule chose qu'il savait faire ! Il travaille dans la publicité puis enseigne à l'école des Beaux-Arts de Manchester.

Il commence par publier des dessins humoristiques dans la presse et ses premiers livres pour les enfants en 1973.

Il est aujourd'hui l'un des auteurs-illustrateurs britanniques les plus reconnus, avec plusieurs centaines de livres à son actif. Mais ce qu'il aime avant tout, c'est raconter des histoires aux enfants et les faire rire. Tony Ross croit au Père Noël, adore les contes de fées et les histoires de reines et de rois, surtout quand les princes et les princesses sont de sacrés garnements ! C'est un poète qui sait aussi bien jongler avec les mots qu'avec les couleurs.

Il aime aborder tous les sujets même les plus graves en faisant rire. Tony Ross vit en Angleterre, au bord de la mer. « Ma principale ambition, c'est de divertir. Souvent, je réécris à ma manière des histoires traditionnelles pour contribuer à les faire connaître aux enfants d'aujourd'hui. Et, parfois, j'écris mes propres contes parce que je ne peux pas m'en empêcher. »

« Les illustrateurs doivent lire. Ils doivent être bons lecteurs. Je le dis sans cesse à mes élèves. »

Dans la même collection

n° 1 *Le vilain gredin*
par Jeanne Willis
et Tony Ross

n° 2 *La sorcière Camembert*
par Patrice Leo

n° 3 *L'oiseau qui ne savait
pas chanter*
par Satoshi Kitamura

n° 4 *La première fois
que je suis née*
par Vincent Cuvellier
et Charles Dutertre

n° 5 *Je veux ma maman!*
par Tony Ross

n° 6 *Petit Fantôme*
par Ramona Bădescu et
Chiaki Miyamoto

n° 7 *Petit dragon*
par Christoph Niemann

n° 8 *Une faim de crocodile*
par Pittau et Gervais

n° 9 *2 petites mains*
et 2 petits pieds par Mem Fox
et Helen Oxenbury

n° 10 *La poule verte*
par Antonin Poirée
et David Drutinus

n° 11 *Quel vilain rhino!*
par Jeanne Willis
et Tony Ross

n° 12 *Peau noire peau blanche*
par Yves Bichet
et Mireille Vautier

n° 15 *Je veux mon p'tipot!*
par Tony Ross

n° 21 *La promesse*
par Jeanne Willis
et Tony Ross

n° 31 *Le grand secret*
par Vincent Cuvellier
et Robin

n° 33 *L'extraordinaire chapeau d'Émilie* par Satoshi Kitamura

n° 34 *Capitaine Petit Cochon* par Martin Waddell et Susan Varley

n° 36 *Le petit monde de Miki* par Dominique Vochelle et Chiaki Miyamoto

n° 37 *Je ne veux pas changer de maison!* par Tony Ross

n° 41 *Le rat bleu* par Jean-Maurice de Montremy et Emmanuel Pierre

n° 43 *Motordu, Sang-de-Grillon et autres contes* par Pef

n° 44 *Le chat et le diable* par James Joyce et Roger Blachon

n° 45 *Zagazou* par Quentin Blake